KB076072

읽고 쓰는 아이들

읽고 쓰는 아이들

저　자　고일초 3-4
　　　　강지호, 권태윤, 김가윤, 김도연, 김민교, 김태연, 김훈민, 나하윤, 박서진
　　　　박시완, 박유주, 박재윤, 박태민, 신주원, 신지유, 심예슬, 유수민, 윤도빈
　　　　이시은, 이주하, 이주호, 이준섭, 전지원, 전 훈, 최 건, 한도윤, 장은혁,
　　　　윤수정
발　행　2024년 1월 30일
펴낸이　한건희
펴낸곳　주식회사 부크크
출판사등록　2014.07.15.(제2014-16호)
주　소　서울특별시 금천구 가산디지털1로 119 SK트윈타워 A동 305호
전　화　1670-8316
이메일　info@bookk.co.kr

ISBN　979-11-410-6949-0

www.bookk.co.kr

읽고 쓰는 아이들

꿈마을 꿀벌반 24기 친구들과 윤수정 선생님 지음

BOOKK✎

차 례

들어가는 글

2000년 3월 2일. 처음으로 교단에 섰습니다. 첫 담임을 맡을 때부터 제가 가르치는 아이들은 꿈마을 꿀벌반이라 불렀습니다. 어느덧 세월이 흘러 24기 아이들과 함께하고 있습니다.

이어령 선생님은 『마지막 수업』에서 인간은 크게 세 부류가 있다고 했습니다. 개미처럼 땅만 보고 사는 사람, 거미처럼 시스템을 만들어 놓고 사는 사람, 스스로 꿀을 만드는 꿀벌 같은 사람입니다. 개미는 있는 것 먹고, 거미는 얻어걸린 것을 먹지만, 꿀벌은 화분으로 꽃가루를 옮기고 자신의 힘으로 꿀을 만드는 존재입니다. 즉, "벌은 화분을 transfer 하는 창조의 삶을 살아가는 사람"이라고 했습니다. 바로 제가 우리 반 아이들에게 바라는 바와 같았습니다. 꿀벌처럼 자신의 날갯짓으로 노력하고 꿈을 이루어 내는 사람. 바로 그것이 제가 바라고 길러내고자 하는 사람입니다.

최근 학교 안팎으로 자주 듣는 말이 있습니다. 바로 '혁신'입니다. 무엇이 혁신일까요? 저는 기본에 충실한 것, 본질을 잃지 않는 것이 혁신이라고 생각합니다. 4차 산업사회가 도래되고 AI가 등장하는 최첨단의 빠른 변화 속에서 변하지 않는 본질을 지켜나가는 것. 그 또한 혁신이라고 생각하기 때문입니다.

교육의 본질은 무엇일까요? 그것은 바로 학교에서 또 교실에서 학생들이 저마다의 꿈을 꾸고 희망을 노래하는 것입니다. 학교와 교실에서 좌절과 절망을 맛보기보다는 자신의 꿈을 향해 비상의 날갯짓을 하려는 마음이 일었으면 좋겠습니다. 공부가 재미있고 새로운 것을 알아가는 배움의 기쁨을 맛볼 수 있었으면 좋겠습니다. 아이들 각자의 배움이 삶 속에서 실천되었을 때 진정한 앎의 기쁨을 느낄 수 있지 않을까요? 바로 그 순간, 아이들은 비로소 성장할 수 있습니다.

아이들의 배움이 삶 속에서 실천되기를 간절히 바라는 마음으로 읽고 쓰는 삶을 가르쳤습니다. 그 첫 번째로 <감사하기>입니다. 모든 공부의 시작은 마음에 있습니다. 바른 마음은 올바른 생활 태도의 밑바탕입니다. 1년 동안 꾸준히 '감사'라는 가치가 삶에 스며들 수 있도록 함께 노력하였습니다.
두 번째는 <함께 읽기>입니다. 『긴긴밤』이라는 책을 한 학기 동안 함께 읽고 다양한 프로젝트 수업을 하였습니다. 같은 책을 통해 서로의 생각을 나누고 더 나아가 서로의 다름을 이해할 수 있었습니다. 세 번째로 <일상 글쓰기>를 실천하였습니다. 어린이들의 눈으로 바라보는 세상을 동시로 풀어내 보았습니다.

읽고 쓰는 삶을 통해 아이들은 자신을 더욱 사랑하고 친구의 소중함을 느낄 수 있었습니다. 내 생각이, 내 글이 한 권의 책이 될 수 있다는 것을 경험한 아이들은 스스로 만들어 내는 창조의 기쁨을 맛볼 수 있으리라 기대합니다. 평생 읽고 쓰는 삶을 살아갈 수 있으리라 확신합니다. 우리 꿈마을 꿀벌반 24기 어린이들이 '나' 자신을 더욱 단단하게 만들고 성장할 수 있도록 꾸준히 읽고 쓰는 삶을 살아가기를 간절히 소망합니다.
"어린이들의 꿈과 희망을 응원합니다."

2024. 1. 27.
윤수정 선생님 씀

제1장 감사의 마법

감사일기, 가족 감사일기, 나, 가족, 학교, 자연, 우리나라 등
우리는 감사하기를 1년 동안 실천하였습니다.

감사

강지호

감사를 하려면
사소한 일에도 감사를 해야 하고
친구를 존중해야 한다.

감사를 하면 좋은 일이 생기고
감사를 하지 않으면
불행이 찾아온다.

감사하는 법

권태윤

감사란
다른 사람이 고마워하는 것

감사를 하려면
감사를 받아야 한다.

엄마에게든
아빠에게든
선생님에게든
친구에게든
누구에게든

그러지 않으면
감사를 하지 못한다.

감사의 포춘 쿠키

김가윤

한입 먹자마자
상큼 팡팡 달달
입에 붙는 말
감사 전달하기

포춘 쿠키 먹으면
뭔가
감사하다고
말하고 싶은
내 감사 이야기

감사

김도연

예전엔 "감사가 뭐야?"라고 물으면
별로 할 말이 없었다.

이제는 "감사가 뭐야?"라고 물으면
어려운 수학 문제를
풀다가도
곧바로 이야기해 줄 수 있다

"감사는 모든 것을 사랑하고 긍정적으로
생각하는 거야."
나도 이젠 감사가 뭔지 안다.
나도 감사할 것이다!

감사합니다

김민교

모두의 마음이
따뜻해지는 말
감사

이 말을 들으면
마음이 따뜻해지는
이 말은 무엇일까?

바로
감. 사. 합. 니. 다!

감사

김태연

하루 종일 감사한 일
엄마, 아빠가 날 낳아주셔서
엄마가 밥을 차려주셔서
아빠가 열심히 일해주셔서
언니가 날 재밌게 놀아주어서
선생님이 수업을 잘 가르쳐주셔서
친구들과 놀 수 있어서
감사해요.

감사

김훈민

감사란 사람들을
따뜻해지게
하는 마음

너도 감사
나도 감사

세상이 감사로
가득 차면
세상이
행복해진다.

감사 열쇠

나하윤

비밀 감사 열쇠를 보여줄게.
비밀 감사의 문을 열어봐~

안녕? 나는 감사야.
감사하는 법을 알려 줄게.

1. 맨날 감사 일기 쓰기!
2. 매일 웃기!
3. 많이 배려하기!

이 정도면 충분해.
그럼, 다시 보자. 안녕!
감사에 대해 많이
알아보자!
"나는 감사인이 될 거야!"

감사

박서진

태어난 것 살아있는 것
이 모든 것이
감사하지 아니할 수
없는데

어찌하여
감사를
못하는 것일까?

이 시 한 번만이라도 읽고
감사를 조금이라도
배우면
얼마나 좋을지
모르겠구나!

매일 감사하자

박시완

우리는 매일 감사해야 한다.
사소한 일에도 감사해야 한다.

언젠가는 행운이 찾아올 것이다.
감사하지 않으면 부정적인 생각이
머리에 계속 맴돌 것이다.

따라서 모든 것을
감사하게 생각하고
긍정적인 생각을
많이 해야 한다.

감사 카메라

박유주

감사 카메라를 들고
찰칵!
감사의 문장들이 나온다.

고마워요.
감사해요.
도와주셔서 감사해요.
살려주셔서 감사해요.

감사문장이 이렇게 많다니!

동생

박재윤

우리 집에는 용이 산다.
용의 이름은 동생

용은 귀엽지도
똑똑하지도
않다.

하지만 내 동생은
나랑 잘 놀아준다.

고마워 내 동생!!

감 사

박태민

감사하다는 말에
인색한 우리

엄마는 나에게
항상 밥을 해주시는데

차마 감사하다는 말을
하지 못했다.

왜 그 쉬운 한마디를
못하는 걸까?

열려라! 감사의 문

신주원

감사의 문
감사는 어떻게 하나?

감사의 문
감사의 문
열려라! 열려라!
빨리 열려라!

빨리 열려라!
감사의 문

감사의 비밀

신지유

감사의 비밀을 풀어보자.
강자의 비밀을 풀려면 감사를 잘 알아야 해.

감사는 주변에 있어
왜냐하면 주위를 조금만 둘러봐도
감사는 나오기 때문이야.

감사는 내가 만들어.
주위 사람에게 고맙다고 해 봐.
그게 바로 감사야.

이제 감사의 비밀을 말해야겠지?
감사란 사소한 것을 고맙게 생각하고
늘 긍정적으로 생각하는 거야.

감사란

심예슬

감사란

마음을 스르르 녹여주는 한마디

감사란

웃음을 싱글벙글 부르는 한마디

감사란

누가 들어도 기분이 좋은 한마디

감사란

우리 생활에 꼭 필요한 존재

감사란

유수민

감사란 무엇일까?

놀 수 있어서?
밥을 먹게 해주어서?
아니지
아니면 무엇일까?

이 모든 게 다, 내가
살아있어 감사한
것인데.

감사의 정령

이시은

내 하루하루가 소중해.
그리고 감사해.

내게 친구들이 있어서 하루하루가 소중해.
그리고 감사해.

내게 나를 지켜주는 가족이 있어 소중해
그리고 감사해.

내가 따끈따끈한 밥을 먹을 수 있어 소중해.
그리고 감사해.

이처럼 감사란 정말 중요한 거야.

이런 것도 감사일까?

이주하

학교 갈 때 엘리베이터가
망가지지 않은 것,
신호등에서 교통사고가
나지 않은 것,
이런 것도 감사일까?

우리 생활에서
사소한 것들도
모두 감사가 아닐까?

이 모든 일은 일어나지
않았지만 감사!

감사

이주호

우리는
감사할 게 많다.

나를 키워주는
우리 가족들

나랑 놀아주는
내 형

나는 고마운 사람이
참 많다.

감사의 열쇠

전지원

내가 가진 건강의 열쇠
나의 열쇠, 즐거움의 문을 열다.

열심히 체육 할 때 빨간 즐거움
눈싸움할 때 파란 즐거움
낙엽 놀이할 때 노란 즐거움

친구가 가진 우정의 열쇠
친구의 열쇠, 우정의 문을 열다.

친구와 놀 때 우정은 하하 호호
친구가 다쳤을 때 우정은 후유
친구와 공부할 때 우정은 헥헥헥헥

두 개의 열쇠 모두 열어보자.

감사란

전 훈

모든 것이 감사!
내가 태어났을 때도
내가 재미있게 놀 때도
내가 맛있게 밥을 먹을 때도

우린 모든 것에 감사!

햇빛을 주심도
공기를 주심도
바람을 주심도

주신 모든 것에 감사!
감사, 감사 또 감사!
Thank you!

제2장 너와 나의 긴긴밤

우리는 <긴긴밤> 책을 함께 읽고 내 생각과 느낌 표현하기,
가장 감명 깊었던 문장 찾기, 멸종위기 동물 보호 활동 등
온 책 읽기를 실천하였습니다.

참 길고 긴 밤

권태윤

긴 긴 밤
나에겐 긴 긴 밤이지만
남에게도
긴 긴 밤일까?

맞을까?
아닐까?

이 생각을 하는
이 밤도
참 길고 긴 밤이다.

길고 긴 긴긴밤

김가윤

노든의 긴긴밤은
수많은 날을 얘기해.

어느 날 파라다이스 동물원에 서
널 만났지.

그리고 알에서 태어난 너와
수많은 밤을 지냈지.

이제는 너와 헤어질 시간
유난히 길고 긴 밤
영원히!

정말 긴긴밤

김도연

긴긴밤 책 이름이 아니다.
나한테는 잘 때 긴~긴~
아주 긴~ 밤이다.

잠이 안 온다.
물 마시러 한 번
화장실 가려 한 번

그러면 엄마는 나한테 이런다.
"빨리 가서 자."

휴. 이젠 정말 자야지!

긴긴밤

김민교

책의 따뜻한 내용이
내 마음속으로 들어간다.

이 책을 읽고 나니 조금 더
마음이 차분해지는 느낌이 든다.

나도 이 책, 내용처럼 더
따뜻한 마음과 존중하는 마음을 가져야지.

집에서도 마음을 차분하게 만들어서
더 좋은 사람이 돼야지.

긴긴밤

김태연

긴긴밤
큰 코뿔소
작은 펭귄

친구가 되었네.
같이 놀고
같이 여행하고

또 길고 긴 밤이 되었네.

긴긴밤

김훈민

걸어도 걸어도
끝이 없는 길

밤에는
길고 또 긴 밤

아! 언제
바다에 도착할까? 라는 마음
별자리로 보이는 것 같다.

긴긴밤

나하윤

긴긴밤은 무섭고 재밌는 이야기다.
"긴긴밤 이야기를 들어볼래?"

노든은 코뿔소다.
하지만 코끼리 고아원에서 태어났다.
노든은 혼자 밖으로 나가서 동물을 만났다.

그 동물은 펭귄이었다.
펭귄은 알을 품고 있었다.
며칠 후 그 펭귄은 땅에 머리를 밝고 죽어있었다.

그 알은 깨어났다.
노든도 사람들 때문에 죽었다.
그 새끼 펭귄은 이제 어디에 갔을까?

외로움

박서진

기뻤지만 한순간에
절망이 된 것이
이리도 쉬운 일이었나.

세상엔
추위, 배고픔, 공포
고통이 있지만
가장 큰 고통은
외로움이다.

그래서
그들이 바뀔 수
있었던 것이다.
친구가 생긴 것!

긴긴밤

박시완

바다를 향해 터벅터벅 걷는
노든과 치쿠

갑자기 눈을 감은 치쿠
절망에 빠진 노든

앗! 힘차게 알을 깨고 나온 아기
펭귄, 그리고 저벅저벅 걷는
노든과 펭귄

같이 걷다가 마주한 초원에서
작별 인사한 그들

사람도 그들처럼 영원히
같이 있을 수는 없지 않을까?

노든의 부모님

노든은 엄마가 없어.
노든은 아빠가 없어.
왜? 왜?
나는 엄마, 아빠 있는데
친구도 엄마, 아빠 있는데
선생님도, 삼촌도, 고모도
모두 모두 있는데.

노든이 돌인 줄 알고
그냥 갔나 보다.
노든이 아닌 줄 알았나 보다.

길고 긴 여정

박태민

어느 날 동물원에서
만난 치쿠

그곳을 나와
시작한
길고 긴 여정

그리고 알에서 태어난
펭귄과 함께
보낸 길고 긴 밤들

이제는 자기의
바다를 찾으러
갈 시간

긴긴밤

서로 살아온 환경이
다른 우리

서로 생김새도 다른
우리지만

길고 긴 밤을 지나
이제는 서로뿐인
우리 우정!

친구

신지유

친구와 함께라면
어디는 두렵지 않아.

물 한 방울 없는
사막도 괜찮고
무시무시한 동물이 살고 있는
정글도 괜찮아.

만약 내가 슬픔의 바다에
잠겨 있다면

날 구해줄 사랑도
친구야.

우정

노든과 아내의 사이란
바로 우정

노든과 양가부의 사이란
바로 우정

노든과 나의 사이란
바로 우정

노든이 그들과 긴긴밤을
보낼 수 있던 이유는
바로 우정

소중한 생명의 탄생

유수민

꿈틀꿈틀 팍!
소중한 생명의 탄생

어떤 느낌일까?
무지하게 행복한 느낌?
말로 표현할 수 없는 느낌?

나는 궁금하다.
그게 어떤
느낌 일지.

소중한 너와 나의 긴긴밤

이시은

모습이 다르게 태어나도
모두 소중해.
아는 게 없어도 모두
모두 소중해.
가족이 없어도
모두 소중해.

세상이 낯설어도 괜찮아.
긴긴밤을 함께할
친구가 있으니 괜찮아.
수많은 긴긴밤 함께하면
알게 될 테니까 괜찮아.

긴긴밤

이주호

노든은 가족과 친구를
한 번에 잃었다.

마지막 하나 남은 자들만
소중한 사람을 잃는 마음을 안다.

얼마나 슬플까!

동물들의 이야기

이준섭

코끼리 고아원을 나와
터벅터벅
갈 길을 간다.

그러나 나와 맞는
친구를 만나 함께
힘을 모아
갈 길을 간다.

여정

전지원

헉헉, 힘든 여정
포기할까?

옆에 친구가 있다면
좋은 여행이 될 거야.

울창한 숲
무시무시한 괴물

친구가 있다면
다 이겨낼 수 있지!

긴긴밤

밤이 아주 긴 긴긴밤
노든과 치쿠가 함께하는 긴긴밤
노든과 앙가부가 함께하는 긴긴밤
모두가 함께하는 긴긴밤

긴긴밤

장은혁

한 이야기에
기쁨, 슬픔, 행복
많은 기분과
교훈을 주네.

이 책은
내가 읽은 책 중,
최고다!

제3장 소소한 일상

우리는 일상 속 내 생각, 내 상상, 내 느낌 등 자유주제로
동시를 쓰며 읽고 쓰는 삶을 실천하였습니다.

택배 사건

권태윤

내가 평화롭게
휴식을 취하고 있을 때,

들려오는 엄마의 목소리
"이 택배 102호에
전하고 와.
잘못 온 택배야."

엘리베이터를
타고
내
려
갔
다.

솜사탕

김가윤

하늘에서
몽실몽실
떠다니는
구름

구름 밑
나무언덕에서
솜사탕 한입

입안에서
달콤함이
퍼진다.

수업 시작 송

김도연

선생님이 수업 시작 송을 틀어주시면
곧바로 자리에 앉는다.

"공부해요. 공부해 차분하게 앉아서…."
하지만 난,
"손이 가요 손이 가. 새우깡에 손이 가…."

새우깡 먹고 싶다.
난 수업 시작 송이 울리면 새우깡 생각이 난다.

그러는 사이 남자애들은 수업 시작 송이
울린 지도 모르고 친구들과 놀고 있는걸.

가을바람

김민교

살랑살랑 부는
가을바람

단풍나무 잎이
툭툭 휭휭
가을바람 타고 날아가네!

저 멀리까지 휭휭
사이좋게 날아가네.

핸드폰

김태연

핸드폰은 많이 힘들겠다.
학교 끝나고 엄마에게 전화하고
학원 끝나고 엄마에게 전화하네.

얼마나 힘들까!
내가 핸드폰이었으면?

치과

김훈민

위이이잉!
내 차례가 되니
가슴이 쿵쾅쿵쾅

의자에 앉으니
가슴이 조여온다.

심장이
두근두근
너무 무섭다.

우리 가족의 주말 일상

나하윤

우리 가족은 주말마다
차를 탄다.
동생 때문에

동생은 차에서 쿨쿨
나는 '아~지루해!'
"엄마 핸드폰 줘~"
엄마는 단호하게
"안돼"

동생이 깨면
나한테는 천국
부모님한테는 지옥

마음

박서진

해는 떴다가도 지고
울창한 숲도
언젠가는 무너지지만

사람의 마음은
변함이 없소이다.

세상에 의사가
아무리 많아도
마음의 병을
고칠 수 있으랴!

가을 풍경

박시완

가을에 위를 보면
구름 없는 푸른 하늘이 보이고

아래를 보면
단풍잎이 보이고

앞을 보면 졸졸 흐르는
시냇물이 보이고

뒤를 보면 초록초록한
벼가 보인다.

가을 풍경은 어떤
풍경보다 멋지다.

학교

박유주

딩동딩동 종소리
우리의 아침 활동을 울리는 소리

1교시 끝.
2교시 끝.
3교시 끝.

4교시 이제 슬슬 배가 징징댄다.
아! 밥 줘! 밥! 밥! 밥!
배가 발차기를 한다.

급식 시간은 얼마나 남지 않았다.
급식 시간이 되면 맛있게 먹고
청소하면 어느새 이별 시간이다.
학교야 안녕!

도토리나무

박재윤

도토리나무는
도토리도 주고,
낙엽도 주고,
가을도 준다.
고마워 나무야!

지각

"따르르릉"
아침 7시 알람이 울 린다.
나는 생각할 겨를도 없이

'5분 뒤에 다시 울림' 버튼을
누르고 다시 잔다.

계속 자다 보면 어느새
8시 30분
"지각이다!"

제일 시원한 가을

신주원

높은 가을은
얼마나 예쁠까?

높은 가을은
가장 아름답게!
바람 소리처럼 신나게!
바람이 훨훨 나네.
빛이 멀리 나게!

딩동댕

신지유

"딩동댕" 와! 쉬는 시간이다!
그 어떤 고리보다 듣고 싶은 소리

"딩동댕" 으악! 수업 시간이야!
세상에서 가장 불길한 소리

쉬는 시간

심예슬

'띠리리링링'
"와, 쉬는시간이다.~"

우당탕탕
쿵쾅쿵쾅
우리 반 쉬는 시간은
언제나 난장판

"여기서 놀자!"
"아니, 여기서 놀자!!"

'띠리리링'
오늘도 쉬는 시간에는
잡담만 쫑알쫑알

구슬 잡아라!

유수민

또르르르 쿵!
떨어진 구슬
구슬 잡아라!
구슬 잡아라!

요리조리 굴러가네!
여기저기
흩어져 굴러가네!

데굴데굴 굴러간다.
아이쿠!
소파 속에
쏙! 들어갔네.

가을

윤도빈

가을은 따뜻하다.
가을은 춥지도
덥지도 않다.

가을은 운동회가 있다.
가을은 아름답다.

가을을 훨훨 나는
기분이다.

나의 소중하고, 소소한 일상

이시은

똑똑, 누군가가 찾아왔어요.
첫 번째 손님은 가족과의 사랑이에요.
두 번째 손님은 친구와의 우정이네요.

후! 손님들이 다 갔어요.
앗! 아직 마지막 손님이 남았어요.
조금 특별한 손님이죠.

똑똑, 오! 손님이 왔어요.
마지막 손님은 바로 소소한 일상이에요.
평범한 일상이 얼마나 소중한지 알려 주는
소소한 행복이죠.

우정

이주하

웃을 때도
슬플 때도

외로울 때도
심심할 때도
행복할 때도

항상 내 옆에
친구들이 늘 내 옆에
있어 준다.

가을바람

이주호

창밖에서는
가을바람이 불어요.

쌩~ 쌩~ 쌩 날아가는
가을바람

여전히 가을이 오면
바람들이 알려 주지요.

가을바람은 우리를
춥게 하곤 하지요.

가을의 소리

이준섭

단풍잎은 빨강 노랑으로 물들고
바스락바스락 낙엽 밟는 소리!
학교에서 운동회에서 뛰는 소리!
자동차 타고 친척들 만나러 가는 소리!

시험

전지원

시험 때가 다가오면
온몸이
후들후들
시험지가 다가오면
식은땀이
주르르륵

1번 문제
모르겠다.
2번 문제
모르겠다.
시험지 낼 때
눈물이
찔끔!

사과

전훈

새콤달콤
상큼한 사과

사과가 빨갛게
잘 익었네!

어디 한번 먹어볼까?
아삭아삭 새콤한 사과

우리 같이 먹을까?
새콤달콤 아삭아삭
맛있는 사과

강아지

최건

집에 누가 오면
멍멍 왈왈 짖는다.

간식을 주려고 하면
빨리 주라고 멍멍

무엇을 시키면
하라는 대로 잘 따라 한다.

가을 겨울

한도윤

가을과 겨울이 오면
생각난다.
바람

바람은 훨훨 훨훨
날 수 있다.

소리가 다르게
날 수 있다.
색다른 바람

운동회

가슴이 두근두근
삑! 아이들 다리가

후다다닥 기계보다
더 빠른 것 같다.

운동장이 아이들
응원 소리로 꽉 찼다.

제4장 나는야, 꼬마 시인

우리는 모두가 꼬마 시인이 될 수 있습니다.
동시를 쓰며 성장하였습니다.

참 치

김 도 연

갑 자 기 이 런 생 각 이 든 다 .
그 러 고 보 니 학 교 급 식 엔
참 치 가 안 나 온 다 .

"참 치 가 몸 에 안 좋 나 ."
난 생 각 했 다 .
'아 닌 데 ?'

운 동 회 때 도 참 치 줌 을 줬 으 면 서
왜 ! 급 식 엔 참 치 가 안 나 오 나 .

예쁜 단풍

김민교

울긋불긋 예쁘게
물든 단풍잎들

저 위에 매달려서
흔들흔들

그러다 시간이 째깍째깍
지나가면 단풍도
은행도 툭! 투툭!
힘없이 떨어져 간다.

가을 낙엽

김태연

바삭바삭 단풍 낙엽
빨갛게 물들어 있는 단풍잎

아삭아삭 은행 낙엽
노랗게 물들에 있는 은행잎

바삭바삭
아삭아삭
가을의 낙엽

공부 바이러스

나하윤

공부는 참 힘들다.
참이 아니라 억수로 힘들다.
공부는 팔도 아프고 눈도 아프다.

공부를 많이 하면 공부 바이러스에 걸린다.
바이러스에 걸리면
팔이 아프고 눈도 아프다.

바이러스의 면역력이 생겨도
안심하면 안 된다.

왜냐하면!
그것은 꿈이었기 때문
그 바이러스는 현실엔 없다.

인의예지신

박 서 진

왜   모두
행운과   이익을
원하는가?

그저
(어질)인
(옳을)의
(예도)예
(슬기)지
(믿을)신

이   오상만   있으면
될   수   있을걸
왜!   모르는가!

쓰레기통

신지유

우리 집엔 제일 밥 많이 먹는
친구가 있다.

종잇조각이 밥이라고 생각하는지
우걱우걱
휴지가 반찬이라고 생각하는지
우적우적

간절한 눈이 날 져다 보니까
밥 안 줄 수 없네.

급식 시간

심예슬

3초
2초
1초
"달려라!"

한 발자국을 내디딘 순간
선생님께서 찌릿

"너는 5분 있다가 와."
오늘도 어김없이
급식실 먼저 가기 작전
실패!

강아지

이 시 은

"샤론이 밥 좀 줘."
"응"

"샤론이 오줌 좀 닦아!"
"응"

맨날, 샤론, 샤론, 짜증 나.
하지만
사랑스러워,
샤론이 강아지

밤

이주호

밤
밤 맛있는 밤

숟가락으로
퍼먹는 맛있는 밤

너무 맛있어서
사람들이 못 먹게
가시가 있나?

낙엽

전 지 원

빨 주 노 초 파 남 보
무 지 개 색 가 을
깃 털 처 럼 살 랑 살 랑
떨 어 지 는 낙 엽

바 삭 바 삭 과 자 처 럼
바 삭 바 삭 낙 엽

언 제 나 알 록 달 록
솜 사 탕 낙 엽
아 름 다 운 낙 엽

멋 진 꿈 을
담 고 있 는 낙 엽

주방

전훈

치익치익 고기 굽는 소리
보글보글 국 끓이는 소리
탁탁 채소 다듬는 소리

오늘 요리는 얼마나 맛있을까?

단풍잎

최 건

나무가 많은 곳을
지나갈 때
부스럭부스럭
무슨 소리인지
고민하고 있는데
또 그 소리가 들린다.

밑을 보니
알록달록
예쁜 잎들이 있다.

눈

온 세상을
하얗게 하얗게
덮어준다.

마치
그 모든 것을
안다는 듯
그동안 애썼다며
토닥여준다.

그 위를
한 발짝 한 발짝 걷노라니
지난날 나의 잘못과
부족함이
선명한 발자국으로
남겨진다.

뒤돌아보니
그마저도
소리 없이
덮어준다.

나도
그 누군가에게
눈 같은 사람이
되고 싶다.

마치는 글

오늘날 아이들은 학교에서 희망이 아닌 좌절을 맛봅니다. 아이들은 더는 학교에서 희망을 찾을 수 없다고도 말합니다. "인생에서 의미를 발견한 사람은 어떤 힘든 일들도 이겨낼 수 있다."라고 오스트리아의 유명한 정신의학자인 빅터 프랭클(Victor Frankel)은 말했습니다. 『죽음의 수용소』라는 책을 통해 세상 사람들에게 삶의 의미의 중요성을 전하고 있습니다. 그가 발견한 인생이란 바로 '의미'였습니다. 내가 무엇인가를 만들어 내고 그것이 다른 사람에게 도움이 되는 의미, 이러한 의미를 발견하고 그것을 소중히 믿고 살아가는 것, 그것이 바로 인생이라고 여겼습니다.

학생들이 더는 학교에서 희망을 찾을 수 없다고 말하는 이유는 무엇일까요? 그것은 바로 아이들이 학교에서 자신의 의미를 찾지 못하고 있기 때문입니다. 빅터 프랭클에 따르면, "자기 삶의 의미를 찾은 아이는 어떠한 어려움이 있어도 이겨낼 수 있다."라고 합니다. 학교에서의 배움이 자신의 미래를 희망할 수 있을 때 아이들은 학교에서의 의미를 찾을 수 있지 않을까요?

우리 사회에 만연한 입시 위주의 교육, 성적, 등수, 타인과의 비교로 인해 학생들이 나만의 고유한 특성과 재능을 찾지 못하고 있습니다. 또 지나친 경쟁으로 학급 안에서 친구들과의 우정, 봉사, 배려, 나눔과 같은 삶의 중요한 가치들이 뒷전으로 밀려나기도 합니다. 아이들이 학급 안에서 삶의 가치들을 몸소 체험해 보고 남을 돕고 친구들과 올바른 관계 맺음을 통해 자신의 의미를 찾을 수 있어야 합니다.

저는 아이들에게 그들의 꿈과 성장과 관련한 몇 가지 과제를 부여했습니다. 첫 번째 과제는 자신의 멘토를 찾는 것이었습니다. 자신의 꿈과 연결 지어 멘토를 찾고 전체 친구들 앞에서 한 명도 빠짐없이 발표했습니다. 그 활동을 통해 아이들은 서로의 꿈과 멘토에 대해 알게 되었습니다. 작은 도화지에 자신의 멘토를 그려서 교실 벽에 붙여 두기도 했습니다.

두 번째 과제는 명언을 통한 글쓰기, 일명 작가 노트에 글쓰기를 했습니다. 자신의 작가 노트에 명언을 따라 쓰고 자기 생각도 씁니다. 글에 어울리는 간단한 그림도 그려 넣습니다. 글쓰기가 끝나면 교실 뒤편 사물함 위에 전시하여 서로의 글을 공유합니다. 쉬는 시간이면 아이들은 교실 뒤편으로 옹기종기 모여 다른 친구들의 생각을 읽습니다. 학생들이 교실과 학교에서 꿈과 희망을 노래하고 삶의 의미를 찾을 수 있기를 기대하고 또 소망해 봅니다.

사랑하는 꿈마을 꿀벌반 24기 친구들에게
한 해 동안 선생님을 잘 따라주어서 무척이나 감사하고 또 고맙습니다. 1년이라는 시간이 비록 짧을지라도 그동안 함께했던 추억은 여러분과 선생님의 삶 속에 고스란히 남아 있으리라 믿습니다. 각자의 자리에서 자신의 역할을 충실히 해내고 나에게 주어진 그 모든 것에 감사했으면 좋겠습니다. 또 더 나아가 꾸준한 독서와 글쓰기를 통해 나를 뒤돌아보고 그 안에서 참된 배움을 얻는 여러분이 되기를 선생님이 항상 응원하겠습니다.

2024. 1. 27
꿈마을 꿀벌 24기 행복 길잡이 윤수정 선생님이